Lliwia
Sali Mali
a'i Ffrindiau

GORDON JONES
Lluniau Cynyrchiadau Siriol

CYMDEITHAS LYFRAU CEREDIGION GYF

Oren yw hoff liw

Sali Mali

Du yw hoff liw

Jac y Jwc

Gwyn yw hoff liw

Guto

Pinc yw hoff liw

Pry Sidan

Gwyrdd yw hoff liw

Pry Bach Tew

Glas yw hoff liw

Tomos Caradog

Porffor yw hoff liw

Nicw Nacw

Melyn yw hoff liw

Morgan a Magi Ann

Coch yw hoff liw

Siencyn

Brown yw hoff liw

Jaci Soch

Sioe Liwiau Jac Do a

Gwenynen Gwenynen

Cyhoeddwyd gan Gymdeithas Lyfrau Ceredigion Gyf.,
Blwch Post 2I, Yr Hen Gwfaint,
Ffordd Llanbadarn, Aberystwyth, Ceredigion SY23 IEY

Argraffiad cyntaf: Medi 2004
ISBN I-84512-0II-6

Hawlfraint: Cymdeithas Lyfrau Ceredigion Gyf. © 2004
Cysyniad: Gordon Jones
Lluniau: Cynyrchiadau Siriol

Argraffwyd ym Melita